roman lime

Sous la direction de

Agnès Huguet

Lucie Papineau

Monsieur Soleil

Illustrations
Marie-Louise Gay

Catalogage avant publication de Bibliothèque et Archives Canada

Papineau, Lucie
Monsieur Soleil
(Roman lime ; 2)

Publ. à l'origine dans la coll. : Carrousel. Petit-roman. 1997.
Pour enfants de 7 ans et plus.

ISBN 2-89512-486-8
I. Gay, Marie-Louise. II. Titre.

PS8581.A665M66 2006 jC843'.54 C2005-941138-4
PS9581.A665M66 2006

Dépôts légaux : 1er trimestre 2006
Bibliothèque nationale du Québec
Bibliothèque nationale du Canada
Bibliothèque nationale de France

ISBN 2-89512-486-8
Imprimé au Canada

10 9 8 7 6 5 4 3 2 1

Direction de la collection : Agnès Huguet
Conception graphique : Primeau & Barey
Révision : Marie-Thérèse Duval
Correction : Céline Vangheluwe

Dominique et compagnie
300, rue Arran
Saint-Lambert (Québec)
J4R 1K5 Canada
Téléphone : (514) 875-0327
Télécopieur : (450) 672-5448
Courriel : dominiqueetcie@editionsheritage.com
Site Internet : www.dominiqueetcompagnie.com

Nous remercions le Conseil des Arts du Canada de l'aide accordée à notre programme de publication. Nous reconnaissons l'aide financière du gouvernement du Canada par l'entremise du Programme d'aide au développement de l'industrie de l'édition (PADIÉ) pour nos activités d'édition.

Nous reconnaissons l'aide financière du gouvernement du Québec par l'entremise du Programme de crédit d'impôt pour l'édition de livres – SODEC – et du Programme d'aide aux entreprises du livre et de l'édition spécialisée.

L'auteure a reçu une subvention du Conseil des Arts du Canada pour l'écriture de cet ouvrage.

Pour Robert, comme un chariot
pour traverser la nuit

Jour 1

Les pains au chocolat

Aujourd'hui, c'est vraiment l'automne. Les arbres ressemblent à des portemanteaux sans manteaux. Le moteur de notre autobus ronronne, exactement comme un chat qui s'ennuie.

– Moi aussi, Antoine Tougas, je m'ennuie. Je m'ennuie comme un chat qui ne ronronne même pas.

– Antoine... Tu as l'air complètement zonzon ! Arrête de parler tout seul.

–Je ne parle pas tout seul, Olivier. Je te parle à toi. Mais tu ne m'écoutes pas.

Olivier, c'est mon « grand frère ». Avec un énorme g à grand et un minuscule f à frère. Il me regarde toujours de très très haut... quand il me regarde.

–Viens, Antoine. On descend ici !

–Pourquoi ? Ce n'est pas notre arrêt.

–Vite, je te dis : l'autobus va repartir !

Mon grand frère m'attrape par le bras et il m'entraîne avec lui. Impossible de lui poser des questions. Même toutes petites. Il marche tellement vite que mes pieds ne touchent plus le sol. Il fait de si grands pas que mes jambes pédalent dans

le vide. On dirait que je m'envole sur un vélo invisible !

Nous voilà donc sur le trottoir et sous les nuages gris.

– Pourquoi on s'est arrêtés ici, Olivier ?

– Parce que je veux manger un pain au chocolat, zonzon.

– Ne m'appelle pas zonzon, bon !

– Très bien. Tu préfères peut-être que je t'appelle zinzin ?

Pas le temps de dire non, Olivier me refait le coup du vélo invisible. En douze ou treize pas de géant, nous voici devant une pâtisserie. La plus magnifique, fantastique, extraordinaire pâtisserie de toute la terre…

La porte a la forme d'un pain au chocolat. Les fenêtres sont ornées de volets en croissants dorés. Et puis

de drôles de bonshommes de pain d'épice dansent sur la marquise. Celle-ci s'avance au-dessus de la porte, comme un tout petit toit ! Mais le plus merveilleux, c'est le soufflet

géant. Ce drôle d'instrument pousse l'odeur du chocolat par la fenêtre. Incroyable ! Ça sent le soleil partout, dans toute la rue !

On dirait que les nuages ont pris

la couleur du miel. On dirait même que les flaques d'eau dansent le cha-cha-cha sous nos pas.

Olivier ouvre la porte pain au chocolat. Aussitôt, la clochette baba au rhum se met à tinter.

– Attends-moi ici, Antoine. Je reviens dans deux minutes.

– Mais je veux un pain au chocolat, moi aussi !

– Si tu restes là sagement, je t'en apporte deux.

Deux ! Me voilà transformé en statue de sel. Rien au monde ne pourrait me faire bouger. Je vois déjà les petits pains dodus, la pâte douce et blonde, le chocolat fondant.

Mais qu'est-ce qu'il fait, Olivier ? Je l'aperçois derrière les volets. Il sourit. Son sourire est encore plus

retroussé qu'un croissant doré. Il regarde la jeune fille qui enveloppe les gâteaux dans du papier brillant. Il sourit à ses cheveux réglisse, à ses yeux noisette et à sa peau chocolat au lait. Il sourit même à son horrible casquette chou à la crème.

Bon. C'est bien mon grand frère, ça... Je donne un coup de soulier dans un vieux sac chiffonné. Je saute un peu à cloche-pied, en comptant jusqu'à douze ou treize. Puis je me bouche les oreilles et je chante seulement pour moi, pas fort du tout. Chanter, c'est moins zonzon que parler tout seul. C'est à peine un peu zinzin.

Enfin, je crois...

– Antoine ! Je t'ai déjà dit d'arrêter de parler tout seul.

– Mais je ne parle pas, Olivier. Je chante !

Malgré son haussement d'épaules et son soupir de soufflet géant, Olivier sourit encore.

– Tiens, zinzin !

Je le savais : chanter les oreilles bouchées, ce n'est pas du tout zonzon. Surtout avec deux pains au chocolat superfondants… uniquement pour moi !

Jour 2

Les croissants au nougat

Bon. Me revoilà devant la pâtisserie. Sur le trottoir, il y a plein de feuilles mortes.

– Tu fais comme hier, Antoine. Tu ne bouges pas d'ici. Je reviens dans trois minutes.

– Avec deux croissants au nougat ?

– Promis !

– *Pralîîîne !* tinte la clochette baba au rhum.

– *Caramêêêl !* répond la porte pain au chocolat.

À travers la fenêtre embuée, je revois Olivier dans un nuage. Il regarde la fille aux cheveux réglisse. Elle lui rend son sourire, un sourire encore plus fondant que du nougat. Et elle lui parle !

Zut. Ça risque d'être encore plus long qu'hier. Je me transformerai sûrement en statue de sel avant d'avoir vu le bout du nez d'un de mes croissants sucrés.

– *Biscotti... Molto... Cioccolata !*

Mais qui parle comme ça ? Avec tous ces *I*, ces *O* et ces *A* ! C'est bizarre : on dirait des mots qui chatouillent ! Des mots comme des toupies qui tournent, tournent et...

– *Ciao... Arrivederci... Basta !*

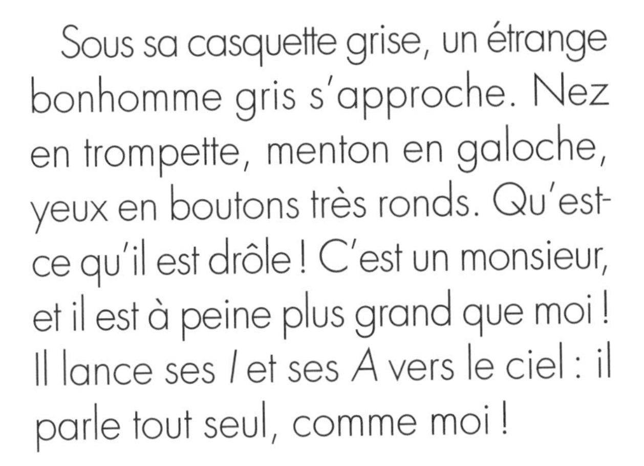

Sous sa casquette grise, un étrange bonhomme gris s'approche. Nez en trompette, menton en galoche, yeux en boutons très ronds. Qu'est-ce qu'il est drôle ! C'est un monsieur, et il est à peine plus grand que moi ! Il lance ses *I* et ses *A* vers le ciel : il parle tout seul, comme moi !

Enfin, parfois...

Il roule sur son vélo. Comme moi quand il fait chaud. Derrière sa bicyclette, il a accroché une caisse de bois à roulettes. Dans ce chariot improvisé, il y a un chien sans queue. Un chat de toutes les couleurs. Puis des chaudrons, des crayons, des citrons, un gros bidon, une fausse peau de bison et même un accordéon ! Ça alors...

Mais le plus surprenant, c'est ce qu'il a dessiné sur son chariot. Il a peint des soleils à huit branches. Exactement comme les soleils que je dessine ! Ça alors...

Il s'arrête au coin de la rue. Son chien gris bondit sur le trottoir et lui lèche le creux de la main. Moi je saute sur un pied, puis sur l'autre.

À peine quelques enjambées et je suis sous son nez.

– Bonjour, monsieur.

Il ne répond pas. C'est qu'il est très occupé à parler à son chat.

Le chat multicolore écoute. Il agite ses moustaches. Il ouvre de grands yeux. Puis il secoue la tête de haut en bas, pendant que le monsieur lui fait un clin d'œil.

J'aurais dû y penser avant. Le monsieur parle la langue des chats. Voilà pourquoi il dit tous ces *O* et ces *A* !

– Eh, monsieur ! Je m'appelle Antoine. Et vous ?

– ...

– Vous ne répondez pas ? Vous avez donné votre langue au chat ?

Quelqu'un m'attrape par le bras.

– Antoine ! Qu'est-ce que tu fais là ? Je ne peux pas te laisser seul trois minutes, toi !

Mon grand frère m'entraîne à toute vitesse loin du monsieur-chat. Je pédale de nouveau sur mon vélo invisible. En quelques pas de loup, nous voici presque chez nous.

– Olivier ! Arrête ! Je veux parler au monsieur qui dit des *O* et des *A* !

– Voyons, zonzon. Tu vois bien que c'est un fou. Il ne faut jamais parler aux fous !

– Un fou ?

– Mais oui, Antoine ! C'est un vrai fou. Il tire un chariot en pleine ville, il ramasse des vieux bidons et il n'a

pas de maison. Il doit même dormir dans la rue. Et puis il parle tout seul !

Pour mon grand frère, parler tout seul, c'est la pire chose qu'on puisse imaginer. Alors je ne dis rien. Je marche jusqu'à la maison, les yeux au sol, traînant les talons.

Dans ma tête, les pensées se bousculent. Le monsieur est fou. Comment ça, fou ?

Un fou, c'est quelqu'un qui ne parle pas comme nous ? Un fou, c'est quelqu'un qui invente de drôles d'histoires pour lui tout seul ? Un fou, c'est quelqu'un qui construit un chariot pour son chien sans queue et son chat de toutes les couleurs ?

Un fou, c'est quelqu'un qui dessine des soleils à huit branches ?

Comme moi. Enfin, parfois...

Olivier fait tourner ses trois clés dans les trois serrures. Je grimpe les trois marches en coup de vent, je traverse le long corridor en un temps record.

– Maman ! Maman ! Maman !

– Maman n'est pas là, Antoine. Elle est partie en voyage ce matin, tu le sais bien.

Madame Belon est assise dans le salon, avec son sourire chaud comme un édredon. Je me lance sur ses genoux.

– Ah, madame Belon, tu sens bon.

Quand maman n'est pas là, madame Belon vient à la maison. Alors madame Belon est souvent ici. Elle veut que je l'appelle tatie, puisque je la connais depuis très très longtemps. Moi, je préfère dire « madame

Belon », parce que c'est un nom qui ressemble à son sourire.

Mais même si elle sent bon, même si elle a un drôle de nom, ce n'est pas pareil. Ce n'est pas maman !

Je ne vais pas lui demander pourquoi les messieurs qui dessinent des soleils à huit branches sont fous. Ni pourquoi les petits garçons qui dessinent des soleils à huit branches sont simplement des petits garçons.

Il n'y a que les mamans qui peuvent répondre à des questions comme ça. Quand elles sont là…

J'ai très peur. C'est le soir et madame Belon vient de dire : « Au lit, grand garçon ! »

Pour aller au lit, je dois escalader l'escalier géant. Lorsque maman n'est pas là et que mon frère Olivier a fermé sa porte, je déteste l'escalier géant.

D'abord il y a les marches qui craquent. Comme une vieille sorcière grinçant des dents. Ensuite il y fait très sombre, comme au pays des ombres. Et puis il y a la rampe de bois toute ronde. On dirait un serpent, prêt à me mordre si j'y mets le doigt.

Cric.

La première marche grince de ses dents de sorcière. Le serpent de bois me guette dans le noir.

Je me retourne, je veux appeler

madame Belon. Ah non ! Jamais plus elle ne me dira : « Au lit, grand garçon ! » Si je lui avoue que j'ai encore peur, elle me dira sûrement : « Au lit, petit zonzon ! »

Non.

Crac.

La deuxième marche couine comme une souris énorme. Le serpent siffle et se tourne vers moi. Vite, vite ! Les marches défilent sous mes pas, et cric et crac, et au secours ! Je me bouche les oreilles, je cours, je grimpe, je saute deux marches à la fois. Où est mon vélo invisible ? Où est Olivier ?

Ouf !

Me voilà dans le corridor, sain et sauf. Cette fois encore, j'ai échappé au serpent de l'escalier. Je ne l'ai

pas touché. Je suis certain qu'il se rendort dès que je quitte la dernière marche. Enfin, je crois.

La porte d'Olivier est fermée. Aussi fermée qu'une oreille bouchée. Je marche vers ma chambre en chantant un peu, pas fort du tout. J'ouvre

la lumière et m'élance sur mon lit. Je vais encore dormir en gardant la lumière allumée. Tant pis.

Dans mon lit, il fait un peu froid. Mais mon édredon est presque aussi chaud que le sourire de madame Belon. Je regarde le plafond et je pense au petit monsieur au nez en

trompette. Lui, il n'a même pas d'édredon. Mais il n'a pas froid. Le monsieur dort dans son chariot avec son chien, son chat et les étoiles. C'est pour ça qu'il n'a pas froid. Je crois même que les rampes-serpents de bois ne lui font pas peur du tout. Elles le font plutôt rire en lui mettant des *O* et des *A* dans la voix.

Si le monsieur n'a pas peur la nuit, dans la rue, pourquoi j'aurais peur dans mon lit, moi ? S'il n'a pas froid, l'automne, dans le noir, pourquoi j'aurais froid dans mon pyjama ?

Je me lève d'un bond et je ferme la lumière. Je me glisse dans mon lit. Je souris. Dans ma tête, il y a une chanson toute en *O*. Et il y a des étoiles, multicolores comme des chats multicolores.

C'est beau, la nuit, quand on a un chariot pour la traverser.

Jour 3

Les gâteaux au sucre d'orge

Ce matin, quand je me suis réveillé, c'était l'Hiver. Avec un énorme *H* comme celui du vent qui siffle : « Hou, hou ! » Toutes les étoiles de mes rêves sont tombées dans les rues, sur les pelouses, sur les branches des arbres. Il a neigé !

Même mon grand frère est redevenu tout petit, le temps de fabriquer un magnifique serpent de neige...

Mais, en ce moment, il est très sérieux. Il ne veut surtout pas avoir l'air zonzon, ni même zinzin : nous revoici devant la pâtisserie !

–Je t'attends ici, Olivier. Mais n'oublie pas mes deux gâteaux au sucre d'orge.

– Entendu, chef !

Et *pralîîîne,* et *caramêêêl,* mon frère court, mon frère vole vers la fille aux yeux noisette.

Bon. Je regarde à gauche, à droite, devant, derrière… Le monsieur au chariot est là ! Il parle à la neige. Comme il semble heureux de voir la rue remplie d'étoiles blanches !

Une dame en manteau rouge s'approche de lui. Elle dépose deux grosses pièces dans sa main. Le monsieur hoche la tête, fouille dans

son sac et trouve un dessin. Il donne un soleil à huit branches à la dame qui dit merci. Puis il tourne sur lui-même en regardant le ciel, comme s'il dansait. Il a l'air si content. Je ris doucement en le voyant sourire.

Je le savais, moi, qu'il n'était pas fou, le petit monsieur. Il a même un métier très important : il vend des soleils à ceux qui ont froid !

Oh ! oh ! On dirait qu'il a trop dansé, qu'il a trop tourné. Il ne rit plus : il est tout étourdi. Le vent souffle autour de lui et son manteau claque comme un drapeau. Le vent emporte un de ses soleils à huit branches !

Je saute, je cours sur le trottoir, dans la ruelle. Le soleil de papier tourbillonne. Le vent l'a transformé

en avion froissé. Il vole à droite, à gauche. Je ne pourrai jamais l'attraper !

« Poufff ! » dit le vent, avec un bruit de mille-feuille dégonflé. À bout de souffle, il a laissé tomber le soleil derrière une poubelle. Je fonce comme

un taureau, je plonge comme un gardien de but… et je me cogne la tête comme un zonzon. Aïe !

Heureusement, j'ai attrapé la feuille de papier juste avant qu'elle soit de nouveau emportée. Je suis un héros ! Un héros blessé, en plus. Ça, c'est impressionnant ! Alors, presque aussi vite que sur mon vélo invisible, je refais le chemin en sens inverse.

Mais au tournant de la rue, il n'y a que du vent et des inconnus. Plus la moindre trace du chariot, des bidons et du chien sans queue. Plus de mots qui chatouillent, plus d'étoiles tombées du ciel : il pleut. Il pleut et le monsieur a disparu.

– Antoine ! Où étais-tu, zonzon ?

– Juste au coin, zinzin !

Jour 4

Pas le moindre petit bout de croissant !

– Olivier, pourquoi on ne va pas à la pâtisserie aujourd'hui ?

– Question de stratégie, répond mon frère.

– Question de quoi ?

– Si Sophie me voit trop souvent, zonzon, elle n'aura pas le temps de penser à moi. C'est ça, la stratégie. J'ai décidé d'aller la voir seulement demain. Alors aujourd'hui, elle va sûrement s'ennuyer de moi.

Pour l'instant, c'est Olivier qui semble s'ennuyer comme un chat qui ne ronronne même pas. Il regarde le plafond, puis la fenêtre, puis le bout de ses souliers. Puis encore le plafond.

Moi, j'ai compris deux choses. Un :

Sophie, c'est le nom de la fille à la casquette chou à la crème. Deux : la stratégie, ça veut dire faire exactement le contraire de ce qu'on veut. En espérant rendre l'autre aussi malheureux que soi.

Bof ! Je ne suis pas certain d'avoir très hâte d'être aussi grand que mon frère. Et puis je n'ai aucune envie

de soupirer en regardant le bout de mes souliers. Alors je saute à cloche-pied jusqu'à la cuisine. Madame Belon y découpe des carottes en forme de papillon.

– Madame Belon, dis... Tu es beaucoup plus grande qu'Olivier, toi ?

– Hum... Pas tellement ! Mais je suis beaucoup plus vieille, si c'est ce que tu veux dire.

– Alors tu dois connaître le monsieur Gris.

– Le monsieur Gris ?

– Oui, tu sais, celui qui se promène avec un drôle de chariot, des soleils à huit branches, un chat multicolore...

– Et un chien sans queue !

– C'est lui ! Tu l'as déjà rencontré ?

–Mais oui, Antoine. Je le vois presque chaque fois que je vais faire les courses.

–Alors tu dois savoir pourquoi il dit des mots remplis de *O*, de *I* et de *A*?

Madame Belon éclate d'un rire tout rond.

–Mais c'est parce qu'il parle italien ! Tout le monde parle comme ça dans le pays d'où il vient. En Italie, on parle italien !

Italien ? Moi, j'étais certain qu'il disait des mots inventés. Des mots compris seulement par les chats multicolores et les chiens sans queue.

–Madame Belon ?

–Oui, Antoine.

–Toi qui es si vieille...

–Merci de me le rappeler, Antoine !

–Est-ce que tu sais parler italien ?

– Pas beaucoup, mon loup-garou. Mais je connais quelques mots. Je peux même te dire bonjour : *Buongiorno, Antonio !*

– Antonio ! C'est moi, ça ?

– *Sì !* Allez, dis-le !

– *Buongiorno, madame Belono !*

Et, même si je lui vole une carotte papillon, madame *Belono* me lance un de ses sourires édredons.

Un sourire aussi léger qu'un papillon. Et aussi chaud qu'un soleil à huit branches.

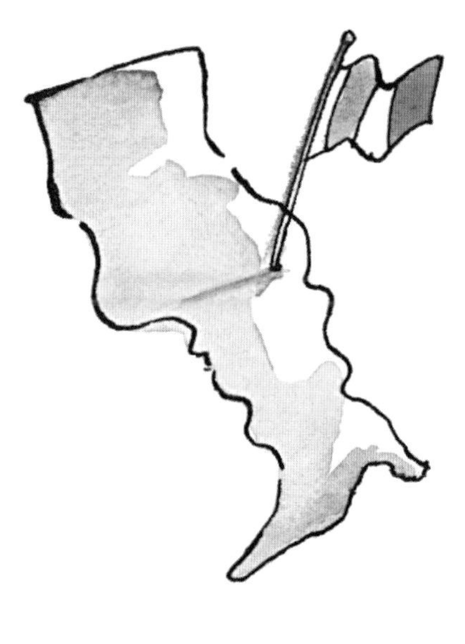

Jour 5

Les marquises au chocolat

– *Pralîîîne !*

– *Caramêêêl !*

Le soleil brille comme un fou aujourd'hui. Et la rue est pleine de couleurs. Serait-ce le soleil du monsieur Gris qui luit dans le ciel bleu ?

Ce matin, en ouvrant les rideaux, madame Belon a dit : « C'est l'été des Indiens. » Eh bien moi, je dis que c'est aussi l'été des Italiens. Je le sais parce que je viens d'apercevoir le petit monsieur. Fiou !

Je croyais qu'il avait disparu. Il était tellement étourdi, la dernière fois que je l'ai vu. Pour le faire revenir, j'ai sauté à cloche-pied, les doigts croisés, les orteils retroussés, un œil à moitié fermé. Ça a marché, il est là ! En sept pas de géant et deux pas de souris, me voici devant lui.

– *Buongiorno,* monsieur !

Je souris. Lui, il me regarde sans dire un mot. Sa tête est penchée comme celle d'un chat qui écoute des mots en *O*. Puis, timidement, sa bouche se retrousse en croissant.

J'ouvre mon sac à dos et j'en retire une feuille. Le soleil à huit branches ! Je l'ai repassé avec le fer de maman pour qu'il ne soit plus froissé. Je donne le dessin au petit monsieur. Il le retourne dans tous les sens. Il est surpris.

Autour du soleil, j'ai dessiné le monsieur Gris. Avec son chariot, son chien sans queue, son chat multicolore et ses bidons. Il pédale sur son vélo volant. On dirait qu'il joue à saute-mouton avec les rayons. Au centre du chariot, je me suis dessiné, moi, Antoine Tougas. Avec des joues rouges comme de la glace à la framboise. Et un sourire encore plus large que mon visage !

Le petit monsieur marmonne quelques mots finissant par O. Puis,

comme on saute dans l'eau quand il fait très chaud, il éclate de rire. Son rire emplit la rue.

Tout à coup, il montre la feuille du doigt.

– *Gianni ?* demande-t-il en regardant le dessin.

– Oui. C'est toi… Gianni !

Madame Belon me l'a dit, elle qui est si vieille et qui sait tant de choses. Le nom du petit monsieur Gris, c'est Gianni. Mais le voilà qui devient soudain très sérieux. Je le sais parce qu'une ligne barre son front, juste entre ses deux yeux. Il fixe toujours le dessin. Il regarde le drôle de bonhomme qui sourit dans le chariot. Il effleure la tête du petit Antoine de papier. Et, sans ajouter un mot, il pose son doigt sur le bout de

mon nez. Ses yeux sont deux points d'interrogation.

–Oui, c'est moi ! Je me suis dessiné dans ton chariot.

Je tourne mon doigt vers mon cœur.

– C'est moi, Antonio !

Gianni éclate de rire.

– *Antonio, Tonio !* dit-il avec des feux d'artifice dans la voix.

Il tourne, tourne sur lui-même en faisant briller le dessin sous le soleil.

Il rit si fort que je ris aussi. Et je tourne, je tourne, sans pouvoir m'arrêter, répétant ces mots :

– *Gianni... Buongiorno... Gianni !*

Un doigt sur ses lèvres, il endort doucement le rire. Ensuite, de sa poche il tire une grande feuille et une craie de couleur. Il trace un soleil, énorme. Il dit mon nom encore une fois, avant de dessiner un immense sourire. Un sourire encore plus large que la face du soleil.

Il me tend le dessin. Il touche le bout de mon nez. Puis le bout du sien.

– *Antonio, Gianni, amico...*

– Antoine, qu'est-ce que tu fais là ?

Ah non. Pas mon « grand frère ». Il va tout gâcher, il va se fâcher, il va me gronder, il va m'emmener...

Je me retourne, prêt à me faire enlever sur le vélo invisible.

Et je me retrouve nez à nez avec un gigantesque sourire, encore plus large que le visage rouge pivoine de mon frère.

– Tu viens, Antoine ? J'ai des choses à te dire, ajoute-t-il tout bas. J'ai un rendez-vous avec Sophie. Un vrai de vrai rendez-vous ! Ah... Sophie !

Ça alors ! Olivier a les oreilles mauves. Olivier semble voir des oiseaux-mouches orange, des papillons bleu nuit et des babas au rhum volants. Olivier a du soleil plein les yeux !

– Tiens, dit-il sans avoir l'air d'y penser, voici trois marquises au chocolat.

– Trois ?

– Eh bien ! Une pour toi, une pour moi et... une pour ton monsieur Gris ! ajoute mon grand frère.

– *Cioccolata !* Miam..., murmure Gianni.

Décidément, l'été des Italiens, c'est vraiment aujourd'hui !

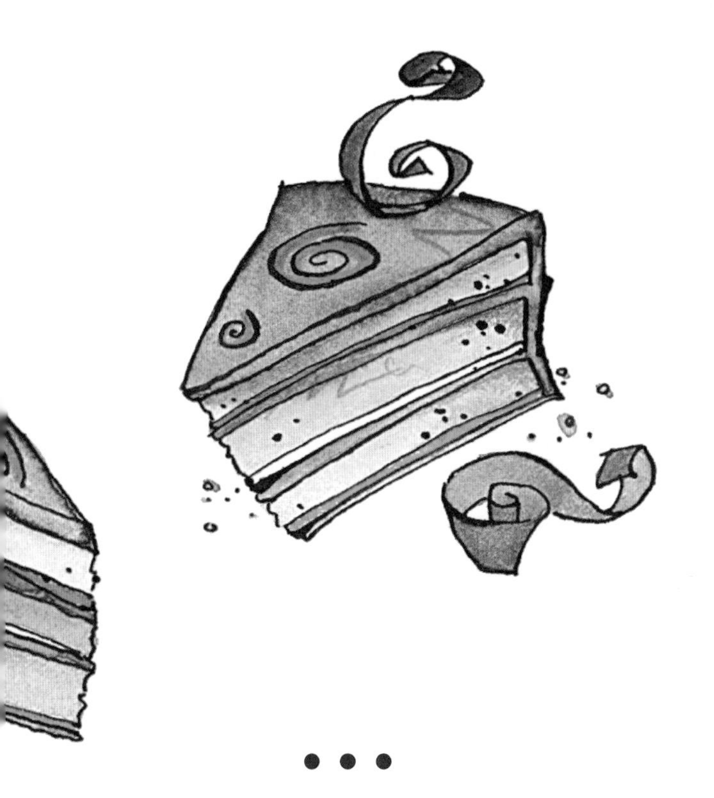

• • •

Ce soir, l'escalier géant n'a pas craqué. Pas de serpent, ni de sorcière grinçant des dents. Je n'y ai même pas pensé quand je l'ai monté.

Madame Belon m'a donné un livre tout ratatiné. Il semble si vieux qu'il

doit savoir des tas de choses. Il s'intitule : *Parlez italien en 40 leçons.*

Dans les pages du livre ratatiné, j'ai cherché un mot. Un mot qui danse avec son *A* surpris, son *I* chatouilleux et son *O* rigolo.

Un mot qui, je le savais déjà, veut dire ami.

Mon ami. Dans ma tête, je l'appelle monsieur Soleil. Ça lui va beaucoup mieux que monsieur Gris !

Alors, sur un grand carton, avec mon crayon orange, j'ai dessiné un soleil à huit branches. Sur chacune des branches, j'ai écrit le nom de monsieur Soleil, puis le mien. Et j'ai tracé lentement les lettres du mot qu'il m'a appris : *amico.*

Maintenant, dans mon lit, je pense aux étoiles multicolores de l'été des

Italiens. Quand maman va rentrer, j'en aurai des choses à lui raconter...

Je lui dirai : « C'est beau, la nuit, quand on a un ami pour la traverser. »

Bonne nuit, monsieur Soleil !

Lucie Papineau

Saviez-vous que monsieur Soleil existe vraiment ? C'est en rencontrant ce drôle de petit bonhomme gris devant la pâtisserie de son quartier que Lucie Papineau a eu l'idée d'écrire cette histoire. Une histoire aussi savoureuse qu'un croissant doré !

Dans la collection Roman lime

1 **Journal d'un petit héros**
Nancy Montour

2 **Monsieur Soleil**
Lucie Papineau

Dans la collection Roman vert

1 **Christophe au grand cœur**
Nathalie Loignon

2 **Jomusch et le troll des cuisines**
Christiane Duchesne

3 **La mémoire de mademoiselle Morgane**
Martine Latulippe

4 **Un été aux couleurs d'Afrique**
Dominique Payette

5 **Du bout des doigts le bout du monde**
Nathalie Loignon

6 **Jomusch et la demoiselle d'en haut**
Christiane Duchesne

7 **Marion et le Nouveau Monde**
Michèle Marineau

8 **La belle histoire de Zigzag**
Yvon Brochu

9 **Jomusch et les poules de Fred**
Christiane Duchesne

10 **Un amour de prof**
Yvon Brochu

11 Jomusch et les grands rendez-vous
Christiane Duchesne

12 Le fantôme du bateau atelier
Yvon Brochu

13 Monsieur Alphonse et le secret d'Agathe
Ania Kazi

14 Les perdus magnifiques
Charlotte Gingras

15 Jomusch et le jumeau mystère
Christiane Duchesne

16 Jomusch et le trésor de Mathias
Christiane Duchesne

Achevé d'imprimer en janvier 2006
sur les presses de Imprimerie L'Empreinte inc.
à Saint-Laurent (Québec) - 64616